KB103735

출처 플로워지니

마혼,

그 중심에 서다.

마혼 , 그 중심에 서다.

발 행 | 2024년 1월 4일
저 자 | 양진희
펴낸이 | 한건희
펴낸곳 | 주식회사 부크크
출판사등록 | 2014.07.15.(제2014-16호)
주 소 | 서울특별시 금천구 가산디지털1로 119 SK트윈타워 A동 305호
전 화 | 1670-8316
이메일 | info@bookk.co.kr

ISBN | 979-11-410-6440-2

www.bookk.co.kr

CONTENT

프롤로그　나의 마흔 마음공부 이야기

늘 방황했다.
어릴 때는 결핍들로 가득한 나 자신의 대한 열등감을 우월감으로 바꾸려고 노력했고
성인 되었을 때는 남보다 뒤처있는 빈곳을 메꾸려고 강박을 가지고 달려 나갔고
결혼을 하고 난 뒤에는 애정결핍이 느껴지지 않기 위해 안정적이고 따뜻한 관계에 대한 집착으로
아이를 낳고나서는 화목하고 완전한 가정에 대한 환상으로 뭔가를 해내야 하고, 이뤄야 하고, 되어야 하는 완벽한 기준을 향해 애쓰고 노력하다가,
아무리 애를 써도 도달하지 못하는 나 자신을 비난하고 책망하고 그 크기만큼 상대방과 환경 탓을 했다.
결국 마음에 지독한 병이 오고 말았다.
그런데도 나약한 정신이 문제라며 상처 난 마음에 다시 한 번 가차 없이 소금을 뿌렸다.
지금 뒤돌아보니 참 가엾다

단 한 번도 쉼이 없는 마음으로 무엇을 그리 얻으려 했을까?
그토록 가혹하게도 화살을 쏘아댔을까 .
내면을 들여다보는 작업을 하면서
마음 깊은 곳에 존재 자체가 잘못됐다는 믿음을 발견했다.
바깥에 보여주는 현실 또한 죄책감을 조장하는 일이 빈번했다
그 죄책감 많은 마음은 안팎으로 내 삶을 좌지우지 했던 것을 뒤늦게야 알고 나니
버텨내고 견뎌낸 마음에 미안하기 그지없다.

글로 표현하기까지 아직 부족한 것이 많지만
마흔이 되고 마음공부를 시작한 계기와
수많은 시행착오, 좌충우돌했던 마음공부 과정을 써내려간다.
끝이 없는 과정에 알게 된 것은 단 하나,
완전한 지점은 없다.
도달하는 깨달음도 없다
마음공부는 180°가 아니라 360° 다시 제자리로 돌아오는 것이다
되고 싶은 그 누군가가 아닌
가고 싶은 어느 곳이 아닌
원하는 그 모습이 아닌

지금 이대로의 나 자신을 온전히 맞이하는 것을 깨달았다.
더 이상 뭔가를 찾아 헤매지 않기로 했다
더 이상 배우려고 애쓰지 않기로 했다
더 이상 다른 누군가가 되고 싶지 않다.
이 말이 오해의 소지가 있겠지만 깨달음이 미래의 다른 곳에 있을 거라 착각하고 쫓아 다니며 구하지 않겠다는 뜻이다.
무너지면 무너지는 대로
아프면 아픈 대로
열등하면 열등한 모습을
1mm도 바꾸지 않고 그대로 껴안기로 했다.
이 모름의 세계에
드러나는 모습 그대로 어느 곳 하나 감추거나 숨기지 않고 수용하고 만나는 자유를 이 글을 통해 나누고 싶다.
이 글을 읽는 누군가가 나의 마음공부 이야기를 읽고 작은 위안이라도 되었으면 좋겠다.

1, 거울명상

근원의 사랑 속에선 앞선 자도 뒤진 자도 없다

가을이 끝나고 겨울이 시작되는 어느 날
초췌하고 살이 많이 빠져 얼굴이 다 말라버린 여자가
화가 잔뜩 난 얼굴로 거울 속에 서있다.
나의 모습을 비춘 거울 속의 여자의 모습이 낯설다.
느닷없이 온갖 욕설과 울부짖음을 뱉어낸다.
시간이 얼마나 흘렀는지 모르겠다.
다만 온몸에 기운이 다 빠져서 축 늘어졌다
눈에는 여전히 눈물이 흐르고
마지막인 듯 중얼거렸다
'내가 얼마나 네가 필요했는데
내가 얼마나 사랑받고 싶었는데'
누군가에게 버림받은 기억이 떠오르면서 울부짖었다.
거울 속 여자는 소리를 지르고 오열을 하면서 몸부림
쳤다
억울한 감정을 주체하지 못해서 몸을 가누지 못한 몸

부림이었다.
나는 울음을 토해내며 원망과 억울함을 내뱉는 여자를 가만히 바라본다.

낯선 나라에서 마음이 괴로워 고통을 받고 있을 때 유튜브에서 김상운 선생님의 '거울명상'을 알게 되었다.
거울을 바라보며 올라오는 모든 감정을 어떠한 판단 없이 있는 그대로 수용해주는 명상이다.
지푸라기라도 잡고 싶은 심정으로 무작정 거울 앞에 서서 내 마음을 드러냈다
처음에는 아무도 없는 공간에서조차 솔직한 마음을 드러내는 것이 두렵고 죄책감이 들었다
누군가를 향해 이렇게 적나라하게 욕을 퍼 부어도 되나?
이제 와서 뭐 하러 구태여 아픈 상처만 떠올리는 것 아닌가?
그 정도 상처도 없는 사람이 있나?
누군가를 미워하고 싫어하는 감정을 느끼는 나를 나는 끊임없이 판단하고 비판하는 눈으로 바라보았다.
누군가를 미워하는 감정은 느끼면 안 된다고 억누르면서, 아픈 내면아이에게 남을 이해하고 사랑해야한다는 정답을 말했다.
나 스스로도 상처받은 내면의 소리를 온전히 받아주지 못했다.

거울에 대고 내 마음을 말한들 뭐가 달라지며
이 또한 무슨 미신 같은 망상 짓인가 싶기도 하면서도
지금 내가 지닌 고통에서 벗어날 수 있을 거라는 지푸라기를 잡고 버텼다.
거울 속에 나는 자신의 마음을 솔직하게 드러내는 것까지만 2년이라는 시간이 걸렸다.
하지만 여전히 온전한 수용되지 않고 있었다.

어느 날은 울다가 지쳐서 잠 들기도 하고
어느 날은 하나도 달라지지 않는 현실에 대고
“나 보고 어쩌라고?” 고래고래 소리를 지르기도 하고
2년을 매일 같이 거울 앞에서 울고 화냈다가 웃고,
누군가 CCTV를 보고 있다면 그야말로 정신병동에 있는 환자 같은 모습이었을 것이다.
거울명상을 하면 할수록 거울 속의 나는 점점 내가 아닌 남으로 보였다.
거울을 보면서 초점을 한 곳에 멍하니 두고 보다보니
때로는 거울 속에 보이는 내 몸이 홀로그램처럼 흔들리기도 하고
때로는 몸 색깔도 보랏빛으로 바뀌기도 하고, 신비한 현상이 눈에 보였다.
시간이 지날수록
거울 속 나와 몸을 동일시하지 않고 나 자신을 남을 보듯이 객관화가 되어 보이는 의식이 생겨난 것 같다

거울명상을 할 때,
거울 속 존재가 여자로 보이는 날도 있고 남자로 보이는 날도 있고 때로는 어떤 형체가 없이 빛만 보이기도 했다.
거울 속의 형체는 감정에 따라 달라지곤 했다
많은 내면아이를 만나기 시작했고
그 중 가장 큰 핵심 감정은 죄책감이었다.
내 돌잔치 때, 아빠는 나에게 남자 옷을 입혔다고 한다.
남아선호 사상이 강했던 그 시절
아빠는 사람들에게 아들을 낳음으로써 인정받고 자랑하고 싶었을 것이다.
아빠가 아들을 바라는 마음이 나에게 고스란히 투사되었다.
나의 무의식에는 남자가 되어야 아빠의 사랑을 받을 수 있다는 것이 각인이 되어 중학교 때부터 머리를 톰보이처럼 아주 짧게 자르고 다녔다.
아빠에게 사랑받고 싶은 마음과 두려움의 감정이 이중적으로 있었던 것 같다.
어릴 때 아빠는 나에게 늘 요구했다.
야무져라, 하려면 제대로 해라, 잘해라!

초등학생밖에 안 된 나는 엄마가 일하러 간 사이에 집안청소를 아빠마음에 들게 깨끗하게 해놨어야 했고,

아빠가 도매일하다가 집에 오시면 밥도 차려드려야 했다. 그래서 학교 마치고 친구들이랑 놀 새 없이 집으로 곧장 달려오곤 했다.
아빠는 청소에 몹시 집착하는 성향이 강했다. 주말에는 아침부터 저녁까지 우리 자매는 열심히 청소를 해야 했기에 친구들이랑 놀러 한번 나가지 못했다.

어느 날 학원에 있는데 여동생이 신발도 제대로 챙겨 신지도 못하고 나를 찾으러 왔다.
아빠가 청소를 제대로 해놓지 않았다며
여동생에게 화를 내며 학원에서 공부하고 있는 나를 불러오라 했던 것이다.
두려운 마음으로 집에 도착하니 바로 손찌검이 날아왔다
아빠는 학원 가방을 찢었고 나와 여동생을 집에서 쫓아냈다.
이 사건은 내가 초등학교 3학년, 여동생이 1학년 때 일이다.

늘 이렇게 긴장 속에서 나의 생사여탈권을 잡고 있는 아빠 눈치를 보면서 성장했던 터라
결혼을 하고도 남편에게 감정을 의존하게 되지 않았나 싶다.
죄책감에 대한 최초 기억은 내 부모님에게 있었다.

내가 아들로 태어났더라면 아빠에게 더 사랑을 받고 살았을 텐데……
내가 남자아이였더라면 엄마를 지켜줄 수가 있었을 텐데……
아무것도 모르고 태어난 아기는
사랑하는 사람들로부터 기쁨이 되는 존재이고 싶었을 텐데……
딸로 태어난 탓에 나는 부모에게 죄책감을 짊어지고
살아가야 하는 억울하고 열등한 아이였다.

거울 앞에서 그 아이의 아픔을 느껴주기 시작했다.
내가 가장 사랑하고 싶은 사람한테 가장 사랑받고 싶었던 순간, 버림받았을 때
내 존재 자체가 거절당한 것처럼 아프고 수치스러워서
그 순간을 삭제해 버리고 싶었다.
저 거울 속에 버림받은 존재가 너무 싫다.
버림받은 모습을 한 저 여자가 하나도 가엾지 않다.
저렇게 못났으니까 버림받지
저렇게 무능력하니까 버림받지
저렇게 매달리니까 더 보기 싫다
존재자체가 수치스럽고 초라해서 어디론가 숨기고 감추고만 싶었다.
다시는 이런 모습이 되고 싶지 않아
거울 속에 초라한 내가 나타날 때마다 원망하고 미워

하면서
다른 사람들이 나를 버리는 것이 너무 두려워서 항상 내가 먼저 나를 버렸다.

얼마나 울었을까
얼마나 소리를 질렀을까
얼마나 미워했을까

2년이라는 시간 동안 매일 올라오는 죄책감의 감정을 마주했다.
그 시간 동안 현실은 더 지옥이 되었고, 나의 감정은 더 예민해져가서 그만두고 싶을 때가 많았다.
그러나 매일 매일 하루도 쉬지 않고 내 감정과 생각을 면밀히 지켜봤다.
그러는 사이에 나도 모르게 정화가 되어 가고 있었을까?
그동안 진실이라고 굳게 믿어왔던 관념이 누군가로부터 주입되어 온 것이었고, 남들이 분별하고 판단하던 생각을 한 치 의심도 하지 않고 진실이라고 믿었다는 것을 알아차리기 시작했다.
남들이 만들어낸 수치와 죄책감도 마찬가지였다.
남들의 감정과 관념으로부터 나를 분리시키고 보니
거울 속의 내가 가엾게 느껴졌다.
미움 받아야 할 이유를 수만 개 만들어내서 다 퍼부어

댔고 그것을 다 받아내야 했던 나는 슬프고 비참한 얼굴로 거기에 서 있었다.

거울 속 내가 용기를 내서 말한다.

"내가 뭘 잘못했어?
못나면 안 돼? 무능력하면 안 돼??
사랑에 목 매달면 안 돼?? 나도 살고 싶어서 그래!! 나도 사랑받고 싶어서 그래!! 그게, 뭘 그렇게 잘못한 거라고 이토록 처절하게 버림받아야 하는 거야? "

......

도대체 왜 이토록 무겁고 힘든 짐을 저 거울 속에 던진 건가.
우리는 모두 인정받고 사랑받는데서 행복을 느끼는데
도대체 뭘 잘못했다 말인가.
남편에게 사랑을 바라는 것이 뭘 그렇게 잘못한 건가.
집착하지 않기 위해 쿨하고 너그러운척하며 이해하는 것이 이상적인 감정이란 말인가.
나의 내면아이가 뭘 이렇게까지 미움 받고 외면당하고 버려져야 하나.
무슨 짓을 하는 건가.
왜 사랑받고 우월한 존재만 내 안에 두려고 하는가.

사랑받기 위해 이렇게 애쓰는 것이 뭐가 그리 수치당해야 하는 건가.
애쓰고 노력해서 사랑을 바라도 되고 집착하는 마음이 있으면 어떤가.
다만 버림받는다면 기꺼이 버려지겠다.
고통이 온다면 그 고통 자체가 되겠다.
내 안에서 예기치 않게 올라오는 모든 감정을 올올이 경험해 보리라.
나 있는 그대로 모습을 솔직하게 드러나서 초라함과 수치와 부끄러움이 까발려지더라도
그 아픈 순간에도 나만큼은 나 자신을 버리지 않고 아픔을 함께 하겠다.

많은 내면아이가 나타났다
마흔이 넘어서도 엄마 , 아빠가 싸울 때 방문 앞에서 쪼그려 앉아 두려움에 떠는 아이
놀이터에서 많은 아이들 앞에서 아빠한테 혼나서 수치심 자체가 되어버린 아이
뭐 하나 잘 하는 것 없다고 무시당하고 열등한 아이
이런 아이들을 직면하기 싫어서 남들 앞에서 언제나 잘나고 대단한 사람으로 인정받고 칭찬받고 싶어서 끊임없이 그들을 의식했다.
그저 잘 보이려는 말과 행동들만 빈틈없이 하려고 하면서 오직 남에게 보여주는 모습에만 온 신경을 쓰며

살아오다보니 단 한 번도 나의 어둡고 초라한 나 자신을 오롯이 있는 그대로 만난 적이 없었던 것이다.

자존감도 낮고, 남모르는 열등감도 심해 언제나 내면 깊은 곳에서는 사람들에게 버림받지 않을까 하는, 남들의 비난과 실망에 대한 두려움으로 움츠리면서 내 모습을 드러내지 않으려고 온 힘으로 눌렀다.
그럴수록 더 완전한 존재가 되려고 노력했지만 그것은 내가 아닌 남이 되려는 것 같아서 한순간도 편히 숨쉬어 본적이 없었다.
사실 우리 모두는 굽은 모습으로 살아가는 것인데
그것이 잘못이 아니라 또 하나의 모습일 뿐인데도
굽지 않으려고 기를 쓰고 '완벽한 만족' 이라는 모양을 만들어 그곳에 도달하려고 꼿꼿하게 살아가려고 하니
힘이 들어가고, 오랜 시간 자신을 괴롭히게 된다.

이제 그 모든 노력과 수고를 멈추고,
나를 통하여 표현하고자 하는 모든 감정을 온전히 받아들이고,
아픈 마음을 버리지 않고 함께 있어 주리라.

거울 명상 덕분이었다.
내 마음에 닿을 수 있도록 응원해주신 김상운 선생님에게 깊이 감사드린다.

“오로지 마음속을 들여다보며 뚜벅뚜벅 걸어가는 자는 이미 무한한 근원의 사랑 속을 걷고 있습니다.”

2.쉼

제자리에 멈추기

저기 어딘가에 닿으면 괴로움이 끝이 날 줄 알았다.
깨달음에 이르면 모든 고통에서 벗어날 줄 알았다.
도를 닦고, 수행을 하면 해탈에 이를 줄 알았다.
그래서 마음공부 하면 할수록 평온하고 여여해질 거라 기대했다.
이 공부 끝에는 나는 지금 내 모습을 정화하고 큰 통찰을 얻은 다른 무엇이 되어서 사랑, 평온, 충만함이 넘칠 것이고, 그로 인해 인간관계와 문제라고 생각했던 일들도 저절로 술술 해결이 되고 물질적인 풍요로 누릴 거라 생각했다.
내면을 더 정화하려 애쓰고
평온과 고요를 만나려 명상하고
모든 문제는 내면에서 발현된 것이니 나를 더 파고들고 내면의 결핍을 찾아 분석했다.
그래서

나는 평온에 이르렀을까?
내면아이를 치유하고 현실이 바뀌었을까?
아니,
어느 곳에 도달할 그 어디라는 데는 처음부터 없었다.
어느 하나 바꿀 것이 하나도 없음을,
지금 드러나는 그대로가 진리임을,
놓치고 있었다.

열 살 아들이 부산에서 두 군데밖에 없는 학원을 다니고 있다.
이 학원의 특징은 오로지 아이의 성향에 맞게 컨설팅된 학원이다.
해운대에 있는 지점을 찾았다.
아들은 첫 수업부터 좋아했고
다소 비싼 수업료이긴 해도 나도 만족했다
번거로운 점은 선생님의 피드백을 위해 수업이 끝날 때까지 학원에서 대기하고 있어야 한다는 것이다.
해운대의 비싼 학원이라는 명색에 엄마들의 옷차림도 명품이다.
수업이 끝나면 선생님으로부터 3분도 채 걸리지 않는 피드백을 듣고 집으로 돌아가는 주차장에서 외제차들이 그득하다.
이러는 동안 내 밑바닥에서 올라오는 마음을 경험한

다.
곁눈질로 엄마들의 옷차림을 눈여겨보게 된다.
학원에 갈 때마다 은근히 그들의 옷차림과 가방에 신경이 쓰인다.
상대적으로 없어 보이고 싶지 않다는 마음에 긴장하게 된다.
브랜드 옷을 서치하기 시작한다.
그러다 문득 알아차림을 하고 있는 덕분일까.
이런 감정패턴이 이번이 처음이 아니라는 것을 알았다.
어쩌다 만나는 사람들에게서
오래된 중학교 동창에게
친분모임에서
나는 상대적인 우월감과 결핍감을 반복해왔다.
이번에도 이런 결핍감을 느끼지 않으려 옷차림에 신경을 쓰고 갔다.
그래도 그들의 명품차림에 따라가지 못하는 형편이 우울했다.
그보다 더 우울한 것은,
마음공부를 하고 있으면서 이런 것에 마음이 흔들리는
나 자신이 너무 실망스러웠다.
여전히 비교, 분별하면서 결핍감을 느끼다니,
아직도 누군가가 되고 싶어 하는 마음이 남아있다니,
마음공부 했다는 나 자신이 한심하고 부끄러워진다.
'브랜드에 눈길조차 주지 말아야지,

내 옷도 값어치 있어,
다른 사람들을 부러워하는 마음도 결핍이야,
내면이 가득 차 있으면 저런 보이는 것에 흔들리지 않을 거야.'
상대적으로 초라하고 갖지 못해서 우울한 마음을
마음공부에서 배운 지식으로 포장하고 있지만 결국은
결핍된 마음을 허용하지 않으려 애쓰고 있었다.
차라리 솔직하게 '명품을 갖고 싶다.
저렇게 부유하게 입고 있는 스타일이 부럽다' 인정하면
될 것을, 잘못된 마음인 양 바꾸고 있었음을 깨달았다.
마음공부를 하는 사람은 명품이나 이미지에 흔들리지
않고 초연할 거라는 관념에 나 스스로를 가두고 있었던 같다.
또 하나의 상이 생겨난 것이다.
있는 그대로의 마음을 수용하기 위해서 마음공부를 시작했는데
오히려 마음공부의 상이 자연스럽게 올라오는 마음을
판단하고 있었다.
내가 그들을 곁눈질하면서 부러워하듯이 나도 곁눈질을 받으며 우월감을 느끼고 싶다.
물질적으로 부족함 없이 풍요를 느끼고 싶다.
다른 사람을 부러워하는 초라함이 싫다.
물질적인 궁핍함을 느끼기 싫다. 라는
이 마음을 들여다 볼 용기가 나지 않았던 것이다.

예수님은 냄새나고 더러운 마구간에서 태어났다.
왜 하나님의 아들인데 왕궁에서 태어나지 않고
아무도 들여다보지 않은 마구간에서 태어났을까?

결핍을 온전히 느껴도 되는 건데
냄새나고 더러운 것 같아서 느끼고 싶지 않았다
부유하고 우월한 왕궁 같은 마음은 좋은데
궁핍하고 초라한 마구간 같은 마음은 싫다.

예수님은 더러운 마구간에서 태어났다.
그곳에 있었다.
궁핍하고 초라하고 열등한 그곳에 있었다.
지금 여기에 드러나는 마음 외엔 바꿀 것이 하나도 없다.
그 어디에 가지 않고
있는 그대로의 마음과 함께 하는 것이 마음공부의 본질이다.
풍요롭고 평온한 마음만 얻는 것이 아니라
더럽고 초라한 마음조차도 바꾸지 않고 그대로 껴안아
그 자리에 멈추는 것이다.
마음공부란 초연하고 어느 감정도 느끼지 않고 덤덤해지는 것이 아니라,
올라오는 마음을 잘못되었다 나쁘다고 분별하지 않고,

어떤 형태로 변형하지 않고, 있는 그대로 받아들여 지나가게 하는 것이다
내 안에 나타났다 사라지는 것은 내 것이 아니기에.
집착할 필요 없이 반갑게 맞이했다가 보내주면 되는 것이다.
그런 무위의 시간을 보낼수록 홀가분하게 가벼워지고 있다.

3.인연

오고 가는

아이들과 한국으로 들어오자마자 코로나가 본격적으로 퍼졌다
급진적으로 심각한 상태가 되어 자유롭게 오가던 공항문이 닫혔다
남편의 일이 한순간 멈추어 막혀있던 와중에
친정 부모님의 호출이 왔다.

긴 이야기를 정리하자면, 더 이상 해외에서 일을 하고 있는 남편 일만 의지하고 살 수는 없지 않냐
우리도 부동산 일을 하고 있으니 너도 부동산 일을 시작해 보는 게 어떻겠느냐
지원해 줄 테니 먼저 자격증을 따라.

남편 일을 따라 다른 지역, 다른 나라에서 지내다가
다시 고향으로 돌아와
나이 마흔에 부모님의 도움을 받아 독립할 준비를 해

야 하는 민망한 상황이 되어버렸다.
나 혼자였다면 거절했을 텐데
아직 어린 자식들을 책임져야 했기에 자존심이고 뭐고 다 내려놓고 부모님 도움을 받았다
부모님도 나 혼자였다면 도와주시지 않을지도 모르지만.

엄마와 함께 부동산 학원을 가서 등록했다.
수험생처럼 매일 12시간 이상을 책상에 앉아 자격증 시험공부를 강행했다
하.. 고 3 때 이렇게 공부했었더라면 명문대도 갈 수 있었겠다 싶을 정도로 내 인생에서 처음으로 독하게 공부를 했다.
학원을 다니면서 사람들과 점심을 먹으러 다니고, 서로 모르는 것을 물어보고
으쌰 으쌰 하며 지친 수험생활을 위로하고
같은 공간에서 같은 목표를 이루기 위해 만난 사람들과 함께 하는 것 자체가 설레었다.
독서실에 앉아있으면 힘내라며 커피를 내밀어 주고 가고,
공부하는 동안 입이 심심하니 맛있게 먹으라며 이것저것 간식을 챙겨주는 언니들과 지내고 있노라면
다시 학창 시절로 돌아간 기분이었다.
주부로 살아온 10여 년 동안

처음으로 나만의 공간과 시간을 가지면서,
학원에서 만나는 다양한 사람들과 한 팀이 되어 소속감도 느껴졌고, 뭔가 해내고 있다는 성취감에 들떠있느라 바빴다.

학원에서 만났던 사람 중 간호사였던 언니가 나에게 호의적이었다.
나 또한 간호과장직을 지냈다는 것을 알고 그녀의 전문적인 커리어에 호감이 갔다.
그런데
가끔 대화 도중에 던지는 말들이 묘하게 기분이 상했다
처음에는 그녀의 직업 특성상 말을 할 땐 응급상황에 에둘러 말하진 않으니
정확하게 칼같이 말하는 말버릇이 있어서
단도직입적으로 말하나 보다 하고 넘어갔던 때가 한두 번이 아니었다.
그녀조차도 자신의 말은 남에게 뼈와 살이 되는 팩트라며 합리화했다.
그런데 철두철미한 팩트가 아니라 무지에서 온 무례함이라고 결론 내리기까지 얼마 걸리지 않았다.

수업이 끝난 후

점심을 같이 먹으면서 왜 내가 학원으로 오게 되었는지 가볍게 대화를 하던 중
그녀는 오물오물 밥을 먹으면서
"네가 너네 부모님의 새는 바가지 구나"

"………….."

점심을 먹고 돌아와 독서실에 앉았다.
심장박동수가 빨라지고 호흡이 씩씩거려진다.
"도대체 나한테 무슨 말을 하는 거야??"
노트에 글자를 휘휘 그어가며 거친 낙서를 해댔다.
내 안에 부모님에게 신세를 지고 있다는 죄책감을 건들었다는 정도는 마음공부를 하고 있어서 알았지만
상대방의 무례한 언행에 분이 풀리지 않고 있었다.
그리고 뭔가 모를 그녀의 화법에 기분이 상하기 일쑤였다.
관찰을 시작했다
나의 마음과, 그녀를.

말은 그 사람의 냄새이다.
말을 어떻게 하느냐에 마음속에 어떤 것이 있는지 알 수가 있다.
속이려고 해도 오랜 시간을 두고 보거나 무의식적으로 튀어나오는 말을 보면 그 사람의 생각이 드러난다.

뜻밖에 그녀에게서 ′열등감′을 봤다
정확하게 말하자면 우월감을 집착하고 있는 그녀는 자신의 열등감을 상대에게 투영하고 있었다.
의외였다. 잘못 본 걸까? 오해하는 걸까?
간호과장이라는 멋진 타이틀을 지냈던 사람이 뭐가 부족해서 열등감이 있을까? 아닐 거야
그런데 가장 많이 드러나는 말과 감정이 '열등감'이었다
그래서 상대방의 열등감을 자극하는 말들과
자신은 우월한 입장에 놓고 상대방을 가장 낮은 열등한 위치로 내려 험담을 한다.

″그 사람이랑 가까이 지낼 거 없어 하나도 쓸모없는 사람이야″
″내가 병원에서 일하고 있었음 상대도 안 했을 사람이야″
″나는 그 어려움도 뚫었는데 재는 그것도 못해″
″얼마나 잘못하고 살면 이혼을 당했을까″
″걔는 지 좋아서 가정주부로 살아놓고 이제 와서 가족을 위해 희생했다니 어쨌다니
집안일한 게 뭐 그리 대수라고″
″네가 나를 이길 수 있을 거 같아?″
″너 A형이지? A형들은 진짜 소심해서 나랑 안 맞아″

대화의 대부분이 늘 그렇게 다른 사람을 험담하며 날카로운 송곳니를 보이며 공격한다.
그 공격이 나에게도 올 때도
나를 보호하기 위해 방어막을 펼쳤다.
나도 그녀만큼 우월하다는 것을 증명하기 위해 많은 말들을 열거했다.
알아차림과 내려놓음을 하기 전까지는.

시험에 합격했고, 그다음 해에 그녀는 곧장 부동산사무실을 차렸다
개업축하를 위해 화분을 들고 그녀의 사무실에 찾아갔다.
자본금이 부족해 오랫동안 알고 지낸 자신의 지인과 함께 동업을 한다고 했다
사무실을 가보니 그녀 책상과
동업을 하고 있는 지인과 책상을 나란히 갖다놓은 통유리가 있는 사무실이었다.
축하인사를 건네고, 그녀의 사무실을 칭찬했다
공간이 남향이라 밝았기 때문이었다.
그런데 두 사람의 분위기가 심상치 않았다.
지인과 그녀는 서로 눈도 마주치지 않고, 어색한 표정을 하고 있었다.
그러고 짧은 시간 앉아 있다가 지인을 제외하고 그녀와 나 둘만 점심을 먹으러 갔다.

자리에 앉자마자 그녀는 주문한 샌드위치가 나오기 전부터 동업을 하고 있는 지인을 험담하기 시작했다

"저 언니가 집을 몇 번 사고 팔아서 이 부동산 일 좀 할 줄 알았는데 하나도 몰라
내가 사회생활에 얼마나 잔뼈가 굵은지 너 알지??
딱 보면 알아. 일 못하는 무능력한 스타일이야
집에서 가정주부로만 지내서 할 줄 아는 게 살림밖에 없어서 그런지 일머리가 없어,
그리고 저 언니 A형이야 그럴 줄 알았어.
나 따라오려면 한참 멀었어."

내가 듣고 있는지 않은지 중요하지 않은 듯 쉴 새 없이 떠들어댔다
상대방의 단점을 최대로 끌어올려 100가지를 펼쳐내며
자신의 장점 하나와 비교를 하면서 말이다.
오늘은 A가 그녀의 표적이 되었고,
저번에 만났을 땐 B가 이혼했다는 이유로 그녀의 비난을 받았고,
누군가에겐 내가 도마에 올라가겠지.
마음의 스톱워치를 누르고
그녀의 입과 표정을 빤히 쳐다봤다
말소리가 뇌로 전달되지 않은 채
왼쪽 귀에서 오른쪽으로 한숨에 통과 한다. 말소리는

그저 배경으로 있을 뿐 점점 들리지 않는다.

나는 결혼 후 전업주부가 되어 어린아이들을 돌보면서 지냈다.
후줄근한 티셔츠를 입고, 화장이라곤 하나 하지 않은 얼굴로 음식물 쓰레기를 버리려고 나가다
정장차림을 하고 퇴근하는 여자들을 만나면
들고 있던 음식쓰레기를 뒤로 숨기며 어깨가 움츠러들곤 했다
같은 아파트에 나보다 더 어린아이를 키우면서 대한항공 승무원 유니폼을 입고 출퇴근을 하는 그녀를 볼 때마다
'난 뭐 하는 거지..?' 도태되어 가는 듯하고
반복되는 집안일이 하찮고 로봇으로 대체돼도 되는 비생산적인 일을 하는 것 같아서 우울하고 자괴감이 느껴졌다.
집안일을 하는 것은 구차하고 열등하고 굴욕스럽게 느껴지며 나 자신이 그와 같았다.
사회적으로 커리어를 쌓아나가고, 명분 있는 일을 하며, 누구나 인정하는 지위와 연봉에 대한 동경도 무의식에 있었다.
간호과장이라는 타이틀이 내게는 멋진 상패로 보였고, 그녀가 일궈낸 커리어에 완벽하고 높은 이미지를 붙여놓았다.

그런데 그녀와의 인연으로 통해 내게 박힌 관념이 바뀌기 시작했다.
고작 아이들을 키우는 일, 집안일 밖에 하지 못하는 사람이라며 꼬집던 그녀의 말이
무의식중에 동의하고 있던 생각을 자극했던 것이다
그녀와 나를 비교하면서 그녀의 말에 힘을 실어준 것은 누구도 아닌 나 자신이었다.

알아차림의 장점은
내면의 어린아이가 아무에게나 사랑받기 위해 달려 나가는 행동과 말을 멈추게 된다는 것이다
그런 후 의식적으로 나의 들키고 싶지 않은 어두운 면과 만나서 함께 있어준다.
숨겨놓은 관념이 나와 남에게 내보이고 나면 처음엔 수치심이 나타나지만
모든 민낯을 수용하고 나면 무의식의 형태가 바뀌기 시작한다.
용기를 내 좁은 길을 통과하고 나면 넓고 따뜻한 자유를 만난다.

고작이라 생각했던 나의 일이, 고작이 아님을 알게 되었다.
법정스님의 말을 빌리자면
나의 하루하루가 나와 한 가정을 , 지붕 밑의 온도를

형성하고 그 온도는 이웃으로 번져 한 사회를 이루게 될 일이었다.
아이들을 따뜻하게 사랑으로 잘 보살펴 주는 것.
건강하고 씩씩하게 자라나게 도와주는 것
우리 아이들이 또 다른 아이들에게 따뜻한 사랑과 도움이 된다면
그 따뜻함의 기초가 집안에서 시작이 되는 것이 아닐까?
그렇다면
집안일을 하는 것이 지금 나에게 주어진 최고의 일이다.
내가 지금 여기서 하는 일이 있으나 마나 한 그런 자리가 아님을.
누군가는 집안에서의 일을
또 누군가는 사회에서의 일을 각자 맡은 자리에서 최선을 다할 뿐이지
어떤 일이 높고 낮음이 있을까?
사회에서 높고 큰 역할을 하는 사람도 집에서의 따뜻함이 원동력이 될 것이다.
그렇다면 따뜻함을 만들어 주는 일이 과연 하찮고 작은 일 일까?
결국 인간은 궁극적으로 따뜻함을 주고받기 위해 살아간다.
돈을 많이 버는 것도, 명예와 권력을 추구하는 것도

사랑을 주고받기 위함인데, 사랑이 곧 따뜻함이지 않나.
우리 모두는 연결되어 있다
나 혼자 이뤄내는 것은 단 하나도 없다.
피어나는 꽃잎조차도 만물이 도와야 필 수 있는 것이다
내가 잘해서 만들어진다는 착각은 오만함을 ,
자기 자신이 잘 되지 않았을 때 스스로를 경멸하는 마음을 만들어낸다.
그저 인연일 뿐이다
누군가를 돌봐야 하는 인연이 오면 그때를 보내야 하는 것이고
승승장구할 때 할 때가 오면 그런 인연이 온 것뿐
변하지 않는 것은 없다.
올라가면 내려가고 펼쳐지면 떨어지고 만나면 헤어지고 시작하면 끝이 나고
늘 그렇게 변화무쌍하기에 '나'라는 것이 고정적이지 않다.
그렇기에 나는 늘 우월한 것만도 아니고
열등하기만 하는 것도 아니다
그녀는 남편과 수년째 말을 하지 않고 같은 집에서 살고 있다.
아이들이 집에 있어도 절곳간 처럼 조용한 적막만 흐른다고 했다.

인정과 사랑을 받는 유일한 파이프가 일하는 것으로 얻을 수 있어서 일중독처럼 매달리고 있는 걸까?
그녀는 우월감에 집착해 가시 돋친 말로 누군가를 끊임없이 판단하고 비판하는 걸로 향해있다
어느 누가 완벽할까?
사실은 자신의 열등한 모습을 남들로 통해 보는 것뿐이다
자신이 갖고 있지 않은 것은 남들에게서 볼 수 없다.
나 또한 그녀를 통해
오랜 시간 동안 나 자신을 힘들게 했던 비교, 분별심을 만날 수 있었다.
이런 모습은 좋고 저런 모습은 싫다고 고정해 놓은 관념들.
만나는 사람들은 또 다른 나라고 했던가.
그녀에게서 나를 보았다
다른 누군가가 되기 위해 애쓰고 고군분투하며 욕망하고 스스로를 가두는 그녀가
얼마나 힘들고 외로울까.
그렇게 애쓰지 않아도 된다고 토닥토닥 거려주고 싶다.

쏴아

일기예보에도 없던 소나기가 시원하게 쏟아진다.

촉촉하게 내리는 빗줄기에 시선이 간다.
눈을 비볐다
어젯밤 잠을 제대로 못 자서 인지
끝없이 자기 증명을 하는
그녀로부터 기가 빨리는 건지 피로감이 몰려온다.

샌드위치를 꾸역꾸역 다 먹고 커피를 들고 일어섰다.
벌써 가냐는 그녀를 뒤로 하고 차에 올라 타
잔잔한 음악을 틀고 천천히 핸들을 움직이었다.
시원한 커피 한 모금과
빗속을 부드럽게 지나는
이 시간이 참 평온하다

5. 너와 함께 있기

다시 만난 내면아이.

종종 넷플릭스 영화를 본다.
이번에 본 영화중에 마음에 와 닿은 장면이 있다.
집안이 한 나라에서 손꼽힐 정도로 부유하고 이름만 말하면 다 아는 명문가의 손자인 남자주인공 닉, 가난한 싱글맘의 딸로 태어난 여자주인공 레이철, 이들은 서로 사랑하는 사이이다.
하지만 닉의 어머니는 부유한 출신이 아닌 레이첼을 아들에게서 떼어 내기 위해 온갖 모욕적인 말과 행동을 한다.
이를 눈치 챈 레이철은 닉의 어머니 마음에 들려고 아무리 노력해도 이미 자격 미달임을 깨닫는다.
자신 때문에 남자친구와 그의 어머니가 서로 원수지간이 되는 걸 원치 않아 남자친구를 놓아주기로 마음먹고, 마지막으로 반대했던 닉의 어머니와 대면한다.

″ 어머니, 제가 부족해서 떠나는 게 아니에요.
이번에 처음으로 느꼈는데 전 충분히 멋진 사람이에요.
언젠가 이것만은 알아주셨으면 해요.
어머니 마음에 드는 며느리를 만나서 월하미인이 피고 새가 지저귀는 동안 손주들과 놀게 된다면, 하층민 출신 이민자 어머니가 키운 가난한 여자인 제 덕분이라는 것을 말이에요 "
그리고 일어서 돌아가면서 자신을 기다리고 있던 엄마 손을 꼭 잡고 그 자리를 떠난다.

나는 레이철의 이 말에 먹먹해졌다.
자신이 어찌하지 못하는 환경과 과거를 끌어안았기 때문이다.
잘 난 남자와 결혼해서 신분 상승을 한 게 아니라. 상대적으로 많이 부족해서 결핍을 느끼고 수치스러울 수도 있었겠지만, 허영과 자존심을 내세우지 않고, 내려놓고 수용하여 내면을 단단하게 한 모습으로 비쳤기 때문이다.
3년 전,
누구에게도 들키고 싶지 않았던 내면 아이(감정)를 만났다.
남들한테는 사랑을 받고 있는 척, 부유한 척, 우월한 척 과장하고 포장하고 있었지만 사실은 사랑받고 있지 않아서 누구보다 사랑을 갈구하고 있었고, 결핍감, 열등감으로 똬리를 틀고 있는 내면아이가 있다는 사실을 나는 알고 있었다.
이 아이가 드러날 때마다 세상에서 가장 못난 아이라며 꽁꽁 머리를 눌러 숨겼다.
그러나 결국은 이 아이가 자신을 좀 봐달라며 머리를 드러내는 바람에 더 이상은 숨길 수 없게 되었다.

그제야 나는 의지가 아닌 수동태로 '척'이 멈추게 되었다.
다른 사람들이 보는 앞에서 사랑받고 있지 않음이 증명되었고.
부모님의 신세를 져야 할 만큼 경제적으로 어려워졌고
직업을 구하면서 무능력함을 마주해야 했다.
보고 싶지 않은 내면아이는 그동안 억눌러놓았던 시간만큼 폭발적인 힘을 발휘하기 시작했다.
두려웠고, 고통스러웠다.
그렇지만 이 아이를 끌어안고 마주하겠다 다짐했다.
억눌린 내면아이가 어떤 모습이든, 어떤 말을 하든 절대로 떠나지 않고 함께 있겠다는 마음으로 만났다.
빨리 회복하길 재촉하지도 않았다.
아주 많은 시간이 지나갔고
천천히 조금씩, 조금씩
받아들이는 만큼 가슴이 시원하게 자유로워졌다.

어느 날 불현듯 깨달았다.
열등감과 우월감.
사랑과 미움
결핍과 풍요는
떨어지지 않는 동전의 양면과 같은 거구나.
어떠한 감정도 좋고 나쁨이 없는데
우월과 사랑만을 느끼고 풍요만 좋다고 쥐려고 했고
열등과 미움, 결핍은 싫다고 버리려고 했구나.
이 내면아이를 버린 존재는 바로 나였구나.
모든 감정은 자연스럽게 왔다 가는 바람 같이 자유롭게 놔두면 되는 것임을.
모든 감정을 온전히 수용하고, 받아들이고 나니
뭐라고 표현할 수 없는 안정감과 포근함이 느껴지면서
뜨거운 눈물이 흘렀다.
사랑이라는 것이 이런 거구나
판단하지 않고, 손가락질하면서 비난하지 않고
있는 모습 그대로 받아지는 것이구나.

영화가 끝난 후
조용히 눈을 감았다.
숨을 들이쉬고 크게 내쉬어 본다.
다시 내면 아이를 만났다.
나의 내면 아이에게 말해본다.

″ 내가 평온함과 사랑을 느낄 때, 사랑받지 못하고 열등한 네 덕분이라는 것을 이제는 알아. 선물처럼 찾아온 너에게 온 마음을 다해 진심으로 고맙다고 말해주고 싶어 “

6. 마음공부의 허상

영성에고

며칠 동안 한 권의 책으로 깊은 우울감에 빠져 지냈다.
이 책은 2년이란 시간을 두고 쓴 글인데 그만큼 깊이감이 있어서 한 장 넘기는 것도 쉽지 않았다.
그녀의 글 실력 때문이 아니라 그녀가 손으로 가리킨 달 때문이었다.
결국 이 마음공부의 본질은 '나 자신을 있는 그대로 사랑하기'인데
이제 알아들을 만큼 알아들었다 생각해서 영성에고가 생긴 건지 나 자신의 위치가 달을 가리킨 손가락으로 가 있음이 부끄러웠다.
가장 중요한 본질은 잊고 마음공부를 하고 있으니 깨달은 자의 모습을 해야 한다는 상像 에 마음을 두었음을 알았다.
마음공부라는 표현을 쓰고 있지만, 다른 말로는, 받아들임 , 수용, 내려놓음, 신성이 드러남으로 대체할 수도 있을 것 같다.

마음에만 국한된 게 아니라 몸은 물론이고 에고로 살아가는 삶 자체를 포함하는 과정이지만 공부라는 개념처럼 어느 수준까지 도달하고, 성과를 내고 하는 것도 아니어서 마음공부라고 규정 짓기도 어렵다.

가시적인 성과보다 긴 여정이기에 "마음을 이렇게 먹었더니 현실이 원하던 대로 평온해졌어요."라며 결론 낼만한 것이 딱히 없다.
여전히 나는 헤매고 있고, 오르락내리락하는 감정을 보고 있을 뿐이다.
그런데 나는 언제부터인가 결론에 도달한 모습을 하고자 하고 있었다.
끝은 사랑이고 평온의 모습으로 가장한 수행자의 모습으로 말이다.
궁극적으로 사랑과 평온으로 가는 것은 맞지만
어떤 모습이 사랑과 평온일까?
모든 것을 이해하고 너그럽게 용서하는 것?
그렇다면 내가 이해하지 못하고 용서하지 못하는 것은 사랑이 아닐까?
가끔은 나의 '지금 이대로'가 이기적으로 느낄 때도 있고, 달라지고 싶은 욕망도 있다고 느낀다.
간절하게 달라지고 싶고, 벗어나고 싶고, 끊어버리고 싶어서
지금 사랑의 모습으로, 평온의 모습으로 하면 달라지지

않을까가 더 중요해서 신성이니, 근원의 마음이니 하면서 현실 바꾸기에 이용하고 있었던 것 같다.

"결국은 착하고 선한 마음을 가져야 해요"
라는 어느 심리학자의 말에 왜 급체한 듯 가슴이 답답한지 이 책을 읽고야 새삼 느꼈다.
더 이상 수행자 코스프레를 하면서 모든 것을 다 이해하는 척 수용하고 싶지 않다.
나를 아프게 했던 사람과 기억을 다 찢어 버리고 싶고, 욕을 퍼붓고 싶다.
그러나 마음공부 완성자의 끝은 모든 것을 용서하고 이해하고 사랑해야 된다는 관념을 나 스스로에게 강요하고 내 안에서는 싫다고 하는데 기어이 선과 악이라는 분별을 만들어서 오로지 선善 만을 취할 것을 선택하려 했다.
불친절한 병원 직원을 만났을 때도
나를 기만했던 그 사람의 안부문자를 받을 때도
관념의 옳음에 갇혀 남을 평가하는 사람을 대할 때도
내 마음에서 올라오는 싫고 미운 마음보다
그들을 더 이해하는 것이 마음공부 한 자에 가깝다는 영성에고가 생겨서 오히려 이 작업이 답답하다.

몇 주 전,

이 영성에고를 가진 어떤 이의 모습에서 실망을 느꼈다.
부동산 공부를 하면서 알게 된 그녀를 한 번씩 카페에서 만나 서로의 안부를 물어보는 사이었다.
그날도 어김없이 카페에서 만났다.
교회를 다니고 있는 그녀는
나는 종교가 없지만, 집안이 불교라 가끔 절에도 가고 법문도 듣고 있는 것을 알면서도 작정한 듯 설교를 하는 그녀를 존중했다.
내가 신의 대한 믿음이 없어서가 아니라 그녀의 하나님을 존중하기 때문이었다.
하지만 만남의 횟수가 점점 많아질수록 그녀의 설교는 선을 넘기 시작했다.
그녀의 태도가 불쾌하기 그지없었다. 종교를 차별하고, 나를 이단으로 만들었다.
너는 구원받아야 할 자. 믿지 않으면 지옥에 갈 자로 규정짓고 있었다.
"사실은 진희 씨 만나기 전날 머리가 깨질 듯 아파.
하나님이 진희 씨와 나의 만남을 원하지 않는 것 같기도 하고, 그래서 진희 씨가 얼른 교회에 와서 하나님을 만났으면 좋겠어. "
" …… "

'내가 먼저 만나자고 한 것도 아니고, 교회에서 만난

사이가 아닌 부동산 공부하면서 알게 된 사이인데, 내가 왜 이런 원하지도 않는 설교를 들으며 여기 앉아 있어야 되지? 아. 내 의사가 제대로 전달이 안 됐구나. 내가 내 그릇보다 더 많이 이해하고 존중하려 했구나.'
내 생각을 최대한 기분 나쁘지 않게 전달하려고 호흡을 다듬고 있었다.

그때
카페에 스님과 함께 어떤 사람이 들어온 걸 보고 흠칫하더니
"진희 씨,
얼른 일어나자!!
여기 오래 있음 안 될 거 같아. "

"언니, 나 만나기 전에 머리 아프면 안 만나도 돼요."
일어나던 그녀가 나의 단호한 목소리에 멈칫하더니 다시 자리에 앉았다.
"나는 언니의 믿음을 존중해요 나와 생각이 달라도 바꾸려 하지 않아요.
그런데 언니는 나의 믿음을 버려야 될 쓰레기 취급하는 거 알아요?
내가 알고 있는 하나님은 남을 분별하고 정죄하지 않아요.
나에게 지금 지옥에 있다는 암시를 주면서

달라져야 한다. 벗어나야 한다고 재촉하는데 왜 있는 그대로를 못 만나고
언니가 원하는 모습으로 남을 바꾸려 해요?"

그녀는 끝끝내 내 말을 이해하지 못한 채 나를 안타까워하며 헤어졌다.

종교의 기득권을 가진 듯한 그녀의 오만함이
영. 성. 에. 고 의 모습인 듯하다.
있는 그대로 남을 존중할 줄 모르는 마음은 늘 분별을 만들어 내는 것 같다.

오랫동안 불교 공부를 한 사람들 중에서도 종교 안에 갇혀서 다른 이의 영성을 분별하고 왜곡시켜 해석하는 고인물을 본다.

그들의 모습을 비난하는 것이 아니다.
이 또한 과정일 테니까.
배우고 깨달아 가는 여정임을 알고 있다.
신도 지금 있는 모습 그대로 허용할 테니까

다만 나 스스로가 영. 성. 에. 고가 되어
그들이 보여준 그 모습, 그 마음이 내 안에도 있음을 보여줬다.

솔직한 내 마음을 있는 그대로 받아주지 않는 게 무슨 마음공부야?
어떤 마음은 선한 것 , 어떤 마음은 악한 거라 분별하면서 다 깨달은 자가 된 듯한 위선적인 마음이
뭐가 나를 존중하는 거야??
나를 기만하는 사람에게 아무 일도 없다듯이 대하기 싫어!
내 돈 지불하고 검사를 받는데
내가 왜 이런 불친절하고 성의 없는 의료진의 행동을 괜찮은 척 하는 거지?
잘못한 상대방을 이해하고 그로인해 속상한 내 마음을 왜 또 이해시켜야 하는데?
나는 지금 딱 이 마음이야.

그런데 왜 자꾸 나에게 선하고 착한 마음만 가지라고 해??
그들을 이해하기 싫은데 수행자 코스프레를 하면서
내 마음보다 남들을 더 이해하려고 해??
악하고 추한 마음도 그냥 마음일 뿐이야!!
그런데 왜 너는 영성에고의 모습으로 내 마음을 판단하고 정죄해??
분별하는 마음 딱 멈추고
여기서 서서 온전하게 내 마음 편을 들어주면서
″ 하기 싫으면 안 해도 돼!! ″라고

나를 보호해주고 싶다.
남을 더 사랑하고 싶지 않고
나보다 더 이해하고 싶지도 않다.
내가 가장 힘든 순간에 나를 버렸던 사람을
나 또한 가장 아프게 버리고 싶다.
못된 말투에 나도 더 못되게 말해서 묵사발을 만들고 싶다.

나는 이제 겨우 마음공부 1학년인데
다 깨달은 양 현자인 척 했구나.
내가 감당할 수 있는 만큼만 하면 되는데
아직 다 소화 못하는 나에게
온갖 지식과 모양을 나에게 강요했구나.
이제 그만
'지금 있는 이대로만' 내 앞에 놓인 지금 이 마음만 온전히 안으면 돼

다시 예전으로 돌아가고 싶지 않은 나를 이해한다.
받기 싫은 전화를 아무렇지 않은 듯 통화하고 싶지 않고
신뢰를 잃어버리는 상대방과 이제 와 뒤늦게 무엇을 더 회복하고 싶지도 않다.
더 이상 착한 마음의 감옥에 갇혀서

내 마음을 꾹꾹 눌러 살고 싶지도 않다.
어둡고 가라앉은 나에게
'이렇게 해야 돼, 저렇게 해야 돼' 라는 잣대를 치워버려도 된다.
나만큼은 온전히 품어주고 이해하고 싶다

'너, 그럴 만 해.'
내 편이 되어줘서 내 마음을 지켜주겠다.
내 마음 편이 되어줘서 받아야 하는 불편한 상황이라면 기꺼이 감수하겠다.

6.몸과 마음

연결되는 유기체

오른쪽 귀에 이명이 온 지 1년이 지났다.
왼쪽 귀도 난청이 생겨서 오른쪽 귀에 의지하고 지내왔었는데 피로감이 쌓였는지 간간이 있던 이명이 부쩍 심해졌다.
예민해지고 쉽게 피로해져서 일찍 잠이 든다.
특히 누군가의 말을 들어야 할 상황이 오면 온 신경을 듣는 데 집중해야 해서 그날은 유난히 피곤하다.
어릴 때부터 왼쪽 귀가 안 좋았다.
물이 자주 흘러나왔고 기억이 가물가물한 시절부터 이비인후과에 다녔던 기억이 있다.
중학교 때는 귀에서 유난히 물이 많이 나왔지만 부모님이 바빠서 혼자 병원에 갔다.
의사 선생님이 내 귀를 유심히 살펴보더니,
"부모님이 함께 오셔야 될 거 같구나. "
그 말을 부모님한테 전했고 내 기억엔 아빠와 다시 그 병원을 찾았던가?

고막이 붙어서 어쩌고 저쩌고 큰 병원을 가봐야 할 것 같다고 의사가 말한 것 같은데,
확실한 것은 그 후로 그 병원은 물론이고 큰 병원도 가지 않았다.
내 귀는 철저하게 방치되었다.
안 들리는 것이 조금 안 들리는 정도라 생각하고 그럭저럭 잘살아왔다.

서른 살,
더 이상 귀를 방치하면 안 되겠다는 생각에 서울의 큰 병원에 가서 수술을 받았다.
내 귓구멍은 평범한 사람들의 그것보다 두 배로 넓혀놨고, 누군가 내 귀를 보게 된다면 귓구멍이 너무 커서 눈이 휘둥그레질 정도다.
머리카락으로 수술한 귀를 덮고 산다.
그런데 진짜 문제는 수술하고도 귀는 회복되지 않았다는 사실이다.
수술하면서 귀 뒤를 찢고 열었는데 그 속은 심각했던 모양이다.
이미 만성이 된 귓속은 좋아질 수 없어서 그대로 문을 닫았다고 했다.
평생 보청기를 끼고 살아야 한다는 판정을 받았다.
그나마 오른쪽 귀로 듣고 살아왔는데 언젠가부터 귀에

서 쇳소리, 매미소리, 심장박동 소리가 쉴 새 없이 난
다.
오른쪽 귀에만 의지해서 듣는데 불편한 티 없이 지내
왔는데, 이제는 듣는 능력이 현저히 떨어져 가고 있음
을 느낀다,
공인중개사자격증을 따고 오랜만에 일을 할 생각으로
들떠서 면접 보러 갔는데, 바로 가까이에서 하는 말도
마스크를 끼고 있어서 그런지 잘 안 들렸다.
그 순간 이렇게까지 안 들렸나 싶어 놀란 마음이 들어
온몸이 경직되었다.
눈치를 챈 면접관이
업무 성격상 상담하는 일이 주된 일인데 어렵겠다고
통보했다.
좌절감이 올라왔다.

헬렌 켈러가 말했다.
'눈이 안 보이면 사물과 멀어지고
귀가 안 들리면 사람과 멀어진다.'
사람들과 대화할 때 잘 안 들려도 그냥 웃어넘긴다.
일상 속에 이런 일이 흔하다 보니 답답하고 뭔가 어리
바리한 느낌마저 든다.
가족 중에서 누군가 귀가 안 들려 같은 말을 여러 번
하다가 짜증을 낼 때는 가족조차도 나를 이해 못 해주
는구나.

밀려오는 서운함과 외로움은 또 얼마나 큰지.
무엇보다도
이제 남들처럼 일을 하면서 나만의 삶의 꽃을 활짝 피우고 싶어 1년 넘게 공부해서 자격증을 땄는데, 잘 들리지 않는 귀가 나를 사정없이 옭아매고 있다.
인생의 패배자라는 자괴감, 미래가 보이지 않는 암울함 속에서 삶의 의욕을 완전히 잃어버리게 되었다.
난청과 이명이라는 내 안의 원수를 나는 사정없이 미워하고 원망했다.
왜 난 이렇게 태어난 거야
남들은 다 잘 들리는데 나만 이렇게 안 들리는 거야
부모님은 어릴 때 왜 내 귀를 방치한 거야
원망의 화살은 부모와 귓병으로 돌아간다.
다시 한번 희망을 갖고 서울 큰 병원을 찾았지만 난청이 있으면 이명도 온다는 짧은 말과 함께 오른쪽 청력도 그다지 좋지 않으니 양쪽 다 보청기를 끼라는 말만 돌아왔다.
10년 전에 왼쪽 귀에 보청기를 맞춰 껴봤지만 보청기 낀 쪽은 기계 소리만 더 커질 뿐, 성능이 아무리 좋아도 사람 목소리 데시벨을 잡기엔 역부족인 듯했다.
한쪽은 차 소리가 더 크게 들리고 한쪽은 자연적인 소리가 같이 들어오니 오히려 사람 소리가 그다지 잘 들리지 않고 피로감만 커질 뿐이었다.
게다가 귀에 보청기를 오래 끼고 있으니 귀 살 부분이

너무 아프고 귀 안에 물이 차서 많이 가렵기도 했다.
이래저래 불편한 것이 한두 가지가 아니어서 보청기 사용을 그만두었는데, 이제 양쪽 다 끼라고 하니.
내 나이가 마흔밖에 되지 않았는데 벌써 보청기라니.
낙담과 절망을 오가며 우울감이 커졌다.
병원을 몇 군데 찾아다녔고, 한의원에서 침도 맞아보았고, 이명에 좋다는 지압도 해보고 했지만, 아무것도 나아진 것은 없었다.
이쯤 되고나니 내 팔자인가 보다 싶어서 노력하던 일을 멈추고 받아들였다.
잘 들리는 귀는 지금 여기에 있지 않고 미래에 있다.
지금 여기에는
한쪽은 난청이라 잘 들리지 않고,
한쪽은 이명이어서 쉴 새 없이 울리는 상태다
이것이 나인 것이다.
이제는 병과 하나가 되고 아픔과 하나가 하나가 되기로 했다.
안 들리면 안 들리는 상태로,
답답하면 그 답답한 대로 그 속에 있기로 했다.
누구에게나 병이 온다. 저항하고 거부한다고 해서 사라지지 않는다.
아플 때는 병원도 가고 치료도 받아야겠지만,
건강함을 갈구한다고 할지라도 현실이 그렇지 못하다면 일단 멈추고,

지금의 병든 상태를 온전히 받아들여 경험해 보는 것이다.
내가 만든 육신의 기준 때문에 지금 내가 겪고 있는 이 육신을 닦달하고 정신적으로 고문하고 학대하며 밀어내기 바빴다.
난청을 겪고 있는 왼쪽 귀와 이명이 있는 오른쪽 귀도 내 신체의 일부로 위로받고 사랑받아야 하는데…….
오랜 자학 속에 멸시당하고 시달려 왔구나.
사라져야 할 악으로 생각하면서 단 한 번도 받아들이려고 하지 않았다.
이 몸도 그때그때의 인연 따라 잠시 생겼다가 사라지는 실체가 없는 것들일 뿐,
분별해서 잘못된 것도, 없애야 하는 것도 아닌 것이다.
그냥 있는 모습 그 자체일 뿐이다.
이 모든 인연을 껴안고 내게 있는 병도, 강박도 있는 그대로 받아들여 함께 할 것이다.
내 자신 안에서 올라오는 이것을 있는 그대로 받아들이리라.
그 하나하나가 나다. 모든 것을 오롯하게 받아들이리라.
자기 사랑은 다른 것이 아니다
우리 안에 있는 마음에 들지 않는 것을 없애버리려고 하는 그 마음을 내려놓는 것!
나에게 있는 것을 분별, 판단하는 그 마음의 칼을 버리

는 것!
그것이 바로 사랑이다.
그 온전한 받아들임 속에서 비로소 기적이 일어나는
게 아닐까?

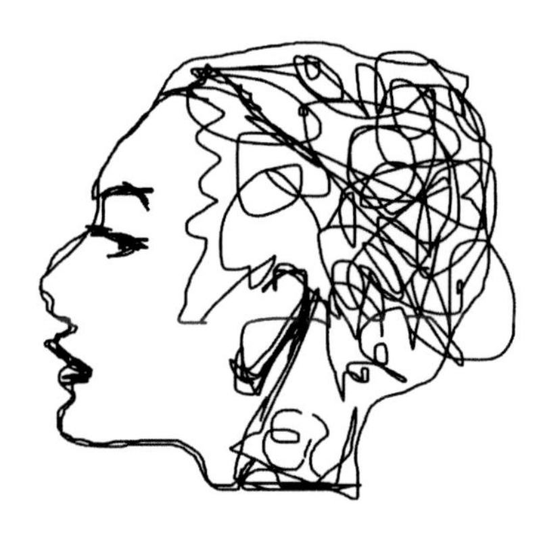

7. 불완전함에서 자유로워지기

자아존중감

나이가 들수록 새로운 것을 배울 때마다
쑥스러움이 배가 된다.
얼마 전에는 두 달 동안 일러스트와 포토샵을 배우러 다녔다.
다니고 싶어서 간 게 아니라 '어쩌다 보니' 배워야 했다.
나보다 젊은 강사와 학생들 사이에서
컴퓨터 기초조차 모르고 있어 첫 수업부터 어렵고 답답함이 온몸을 짓눌렀다.
"shift 누르고 Alt 치세요"
"뭐.. 라 구요? s h i f t 시 프 트 누 르 고 알 트"

15년 전인가? 엑셀을 배우던 기억이 가물가물 올라왔다.
컴퓨터에선 딱 인터넷밖에 할 줄 모르는 내가 일러스트를 배우러 오게 될 줄이야.

오늘 그냥 환불받고 가야겠다.
컴퓨터실 내 자리 옆에는 대학생으로 보이는 커플이 앉아 있었다.
그중 여자애는 버벅거리고 있는 내가 안쓰러운지 컴퓨터 자판을 독수리 타법으로 찾고 있는 나 대신 한 손으로는 자신의 키보드를 다른 한 손으로는 내 키보드를 능수능란하게 치면서 도와주었다.
도와주는 사람도 있고 선생님도 열정적으로 가르쳐주신다.
그들의 마음이 갸륵하기도 하고 여기서 그만두면 다른 것도 못할 거 같아서 하루, 이틀, 일주일 겨우 버텨나갔다.
수업 중간에 잘 따라가지 못하는 나 때문에 수업 속도가 지체 되니 민폐도 이런 민폐가 없다.
나이 든 나를 배려하느라 누구 하나 나한테 뭐라 하는 사람은 없었지만, 괜스레 혼자 주눅이 든다.

'저 나이 먹어서 이런 기초도 모른다 말이야?
난 저렇게 살지 말아야지
어휴 아줌마 때문에 수업 진도가 안 나가잖아 '
하는 것 같아 얼마나 눈치가 보이는지 티는 안 냈지만
긴장 속에서 식은땀이 등허리로 흘러내렸다.

수업 내내 온몸에 잔뜩 힘을 주고 있다가 마치는 종이

울리면 휴~ 하고 한숨이 나오고 긴장했던 어깨에 힘이 풀린다.
잠자리에 들면서 내일을 걱정한다.

이 나이에 이걸 배워서 뭐 하게?
취업할 것도 아니고 자격증 딸 것도 아닌데
지금이라도 그만둘까? 내일 하루 쉴까?
아이고 모르겠다, 대충대충 하자.
열심히 안 해도 되는 그럴듯한 이유를 찾아 갑옷을 만들었다.
그러나 컴퓨터로 작업물을 만들어야 하기에 모자란 실력이라도 어떻게든 그려내 제출해야 한다.

테스트를 받던 날,

"이게 다예요? "

내 뒤에서 선생님이 나직한 목소리로 말한다.
그동안 많은 스킬을 가르쳐줬는데 이것밖에 못 하고 있냐는 뜻이다.

"네.. 기억이 나질 않아요 "
더구나 집에 가서 연습이라곤 하나도 안 했으니 내 것이 될 리가 있겠냐.

또 희한한 게 선생님의 지적이 쑥스러우면서 겉으로는 아줌마스러운 뻔뻔함(?)으로 대처하면 된다는 생각은 어디서 오는 건지 내면의 어린 소녀는 얼굴이 발갛게 되는 걸 느끼는데도 넉살 좋은 얼굴을 하고 있다
그러니 선생님도 체념하는 듯하다.

잘못하고 서투른 나를 만날 때마다
후회와 자책이 몰려온다.
다소 늦은 나이라는 압박감도 같이 몰려와 나를 괴롭혔다.

거울을 보고 섰다
나이가 들어있는 아줌마를 마주 보고 질책했다.
'남들보다 잘하는 것도 없고
이제 와서 이런 거 배운들 뭐가 달라질 것 같아?'
잘 못 하는 나를 만날 때 누구보다 나를 힐난한다.
비교하고 비난하기 일쑤인 나는 나에게 가장 아픈 부분을 쉽게 드러낼 수가 없다.
그러니 남들 앞에서는 오죽할까.
마음공부를 한다 해도 늘 경계선에 서 있다.
비교하는 나와 비교당하는 나,
그렇지만 바꾸려 하지 않는다.
세포들조차 움직이지 않는 듯 가만히 있는 그대로 느낀다..

비교하는 나도 받아들이고
비교당하는 나도 받아들일 수 있게 그저 그 순간 가만히 머물 뿐이다.
이런 작업이 금방 끝날 때도 있고 오래 걸릴 때도 있다.
오래 걸린다고 해서 재촉하지 않으려 한다.
짧은 시간에 극복하고 싶은 마음도 내려놓는다.
모든 여정을 다 받아들이고 적절한 시간이 되면 마음은 텅 비어 버린다.

못해도 괜찮은 나
버벅거리고 늦어도 괜찮은 때가 온다.
이 마음조차도 지나가기에 그때 그 순간 만나는 내가 가장 완벽하다.

많이 해보면 잘하게 된다고 했던가?
한 달이 넘어가니 이제 간단한 사람 정도는 그릴 수 있겠다.
물론 반에선 제일 낮은 점수로 고비를 넘어가고 있지만
이만큼 발전했으면 장하다

수업 마지막 날, 수료증을 받았다.
뿌듯한 마음으로 수료증을 바라보면서

스스로 성장하고 싶고 삶의 주인이 되고자 배우려 했던 마음이 참 기특하다. 토닥토닥^^

8.삶의 무늬

생각, 감정, 느낌의 패턴

괴롭고 부정적인 감정을 해결하려고
온갖 책들과 현자들의 지혜를 통해 깨달음을 얻고자
많은 시간을 애쓰며 보낸 적이 있었다.
2년이 넘게 이 방법 저 방법을 쓰며 마음공부를 했지만 답답한 마음은 여전했다. 오히려 극도로 절망스러운 사건이 생기기도 했다
항상 꽉 막힌 답답함을 지닌 채, 여기저기 기웃거리며 방황하고 있었다.
언제쯤, 이 괴로움에서 벗어날 수 있을까?
답답하고 싫은 마음의 그 끝은 어디일까?

그런데 우연히 전환점이 되는 일이 있었다.
큰 사건이 아니라 늘 해오던 일상에서 말이다.
자려고 침대에 가만히 누워있는데 뭔가 서글픈 감정

이 훅 올라왔다.
잠 들려고 이미 누워있었던지라 다른 때처럼 볼 핸드폰도, 책도 없어서 올라오는 감정을 그대로 느낄 수밖에 없었다.
말 그대로 서글픔과 나, 둘밖에 없었다.
감정을 몸과 마음으로 고스란히 마주한 것은 그때가 처음이었다.
몸이 찌릿찌릿하기도 하고 심장 부분에 뭔가 쪼여오는 듯한 감각이 있었는데, 몸은 그 어떤 저항도 하지 못한 채로 고스란히 받아들일 수밖에 없었다.
아주 깊은 느낌이었고, 온몸을 후르르 훑고 스르르 사라지는 게 아니겠는가.
분명 내 몸이었는데 내가 느끼는 것이 아닌 듯 나는 그저 그 느낌을 바라보고 있었다.
'아, 이것이 있는 그대로 느끼는 것이구나' 라는 앎이 왔다.

온전히 느껴본 적이 그때가 처음이었다.
그동안 부정적인 느낌이 들 때 본능적으로 몸을 움직여 핸드폰을 보거나 기분 좋게 하는 쪽으로 방향을 바꿔왔다.
몸을 움직일 수 없는 반쯤 잠든 상태에서 감정이 오는 처음과 사라지는 것을 다 느끼고 나서야 알아차렸다 그 후로 감정을 정밀하게 고스란히 느끼는 훈련을 해오고 있다.
어떤 생각이 떠오르고 감정을 느끼면 감각이 몸으로 이어져서 온다.
배가 뒤틀리기도 하고 가슴 부분에 통증이 느껴지기도 한다.
느낌이 감각이 되어 온몸을 훑고 지나가게 놔둬도 괜찮다는 임상실험(?)을 경험했다
관찰하고 있노라면 마음과 몸이 둘이 아니라는 것을 실감한다.
알아차림은 삶의 방향이 되어준다.
내면의 에너지를 알아차리면
외부에서 부는 바람에 함부로 휘둘림을 당하지 않게 되고, 화살처럼 금방 지나가는 감정에 쉽게 동화가 되지 않는다.
의식의 닻줄을 내려 단단한 중심을 잡는다.

그 일을 겪은 후부터 감정이 올라오는 것을 막지 않았다.
누군가를 미워하는 마음이 올라오면 이내 안 된다는 판단이 생기고 죄책감이 일어나는 것을 알아차렸다.
누군가를 미워하는 것은 나쁘다는 관념,
이해해야 좋은 것이라는 관념이 함께 있었다.
이미 마음은 미워하는 것을 붙들고 있는데

머리로는 이해해야 한다니
모순되고 복잡한 이 감정이 싫으니 얼른 다른 기분으로 바꾸려 노력했다.
핸드폰을 켜서 보거나, 기분전환에 도움 되는 무언가를 찾는다.
하지만 훈련하는 동안,
싫은 기분을 하나도 놓치지 않기 위해
올라오는 감정을 깨지기 쉬운 유리처럼 가만히 그대로 두고 오로지 지켜볼 뿐이다.
감정은 어떤 방해도 받지 않고 그 모습 그대로 드러낸다.
미운 감정과 죄책감 들면 곧바로 미워하지 않으려 애쓰는 마음도 올라온다.
그리고 또 미움과 죄책감. 반복 패턴을 그리고 있는 것을 지켜본다.
모르겠다, 지긋지긋하다, 그만하고 싶다며 저항하듯 발버둥을 친다.
이런 저항들은 몸의 감각으로 연결된다.
가슴이 답답해지고 얼굴 근육이 일그러진다.
뭐 하는 건가 싶기도 하고
뭘 알고 싶어서 이러고 있는지, 그저 혼란뿐이다.
그런 저항이 올라오는 와중에도 계속 깊은 내면을 가만히 들여다보고 있으면 내 안에 어떤 존재가 느껴지기 시작한다.

그 혼란마저 받아들이는 무언가 내 버팀목이 되어준다는 믿음이 있다.
믿으려고 해서 믿어지는 것이 아니라 저절로 믿어지는 든든한 마음이다.

어제 미워한 누군가를 오늘 또 미워하고 아파하면서 죄책감으로 자신을 벌하려 할 때,
나도 모르게 내 입은 단호하게 소리친다.
"미워해도 괜찮아, 죽여 버리고 싶은 게 당연하지.
미워하면 안 되는 게 어딨어!!
너는 미움 받으면서 왜 미움을 주는 건 나쁘다는 거야??
나쁘고 좋은 게 어딨어?? 그냥 미워해!! 온전히 미워하고 욕해 그래도 충분히 넘치게 괜찮아!! "
많은 시간 동안 듣기만 했던 내가 힘이 생겨 또 다른 나의 편이 돼서 응원해준다.
동시에
나쁘고 좋다고 믿고 있던 관념들이 한꺼번에 터져버렸다.
미워하는 것은 나쁜 것도 좋은 것도 아닌,
그냥 하나의 생각일 뿐
오래된 관념을 뒤집어 버렸다.
순간, 내가 생각하는 감정에 어떤 브레이크도 없이 온전히 뚫고 나가도 된다는 자유를 느꼈다.

마음껏 미워해도 되는구나.
어느 한쪽 관념에 치우치지 않고 지금 내게 온 이 생각과 감정 이 다 괜찮은 것이구나.
나는 남을 미워하는 나쁜 아이가 아니라
텅 비어있는 마음에 인연이 돼서 온 이 순간의 마음을 느끼고 있는 것 뿐 이구나.
그것은 나쁘다 좋다로 분별할 수 있는 것이 아니구나.
뭐든 허용해도 되는 마음일 뿐이구나.
미워하는 마음이 들면 온전히 미워하고
사랑하는 마음이 들면 온전히 사랑하면 되는구나.
그제야 늘 달라붙어 있던 죄책감도 날아간다.

꽉 막혀있던 가슴에 큰 숨이 훅하고 나간 기분이 들면서 홀가분했다.
아, 자유롭다
뭐라 말할 수 없는 고요함과 평온함을 느꼈다.
이 또한 텅 빈 마음에 온 것들이구나.
자유롭게 왔다 가렴!
머물고 싶은 만큼 머물다 가도 안전하구나.
그 어떤 것이라도 나를 위한 것이구나.
초라함, 나약함, 나태함, 무기력함에는 나쁘다는 이름을
화려함, 자신감, 활기참에는 좋다는 이름을 붙여놓고
싫고 좋음을 선택해서 싫은 것은 내 인생에서 밀어내려 하고

좋은 것은 더 가지려고 집착하고 있었구나.
그것들은 내가 붙잡아 낼 수 있는 것도, 밀어 낼 수 있는 것도 아닌데도 말이다.

삶은 내가 노력한다고 해서 그 결과가 내 뜻대로 고스란히 이뤄지는 것이 아니다.
내게 주어지는 것은 인연작용에 의해서 오는 것이다.
노력을 하지 않아도 된다는 뜻이 아니라,
하되 함이 없이 자연의 흐름에 맡기는 것이다.
그래서 경험되어지기 위해 오는 선물 같은 인연을 분별하지 않고 집착 없이 경험해주면 되는 것이다.

삶은 매 순간 지금 뿐이다.
내가 어떤 선택을 하든, 내가 꼭 봐야 할 마음을 내 앞에 놓아줄 것이다.
그 순간 더 완전한 곳으로 가려고 하지 않고, 어떤 두려움으로 선택하지 않은 마음을 기꺼이 들여다 봐준다면 끝내는 두려움조차도 수용할 수 있는 지금 이대로의 완전함을 만날 것이다.

에필로그 : 민낯 그대로 드러내는 용기

마음공부에 대한 글을 쓰게 된 건 글쓰기모임에서 이다
책 읽기를 좋아하고 글쓰기에 도전하고 싶은 사람들의 글쓰기 모임에서 혼자 몰래 쓰던 글을 내놓았다
처음에는 글을 공개하는 것이 선뜻 내키지가 않았다.
마음공부에 대한 이야기라 지난 시간 동안 겪은 나의 밑바닥을 다 드러내 보여야 했기 때문이다.
매주 글을 공개할 때마다 망설임과 갈등의 연속이었다 하지만 이왕 글을 쓰기로 한 이상 온전히 나의 마음을 낱낱이 펼쳐 보이기로 마음먹고 쓰기 시작한 글은 시간이 지날수록 힘이 세져 갔다.

엄마의 삶을 닮을까 봐 두려워서
나는 엄마와는 다른 모습이 될 거라고 애를 썼지만 결국은 삶의 무늬가 그대로 닮아 가는 모습을 미워하고 싫어했다. 하지만 글을 써가면서 엄마를 참 많이 이해하게 되고 애틋해하기 시작했다.
어느 날 갑자기 중국어를 배우러 중국에 갔을 때도,

홀연히 호주에 갔을 때도 엄마는 변덕스러운 딸을 항상 응원해주고 있었다는 것을 깨달았다
어떤 삶을 살더라도 나를 응원해 주는 엄마의 마음을
마음공부를 하면서 온전하게 알 수 있었던 것은
내가 그토록 싫다던 엄마의 무의식과 닮아서가 아닐까.
이제는 내가 엄마의 모습이 되어보니
그토록 고단하고 힘들었던 삶을 견디고 받아들여 살아 온 엄마의 용기에 깊은 존경심이 든다.
그래서
내 안에 있는 엄마의 어떠한 모습이라도 거부하지 않고 온전하게 허용할 수 있다.
엄마는 또 다른 나이기도 하니까.

마흔이 넘은 딸에게 먹기 쉽게 각종 과일을 깎아서
우리 집까지 손수 들고 와 전해주는 아빠의 모습에서
그동안 보이지 않는 사랑이 느껴진다.
내가 마음공부의 입구를 들어가게 해 준 남편에게도
마음을 전하고 싶다.
덕분에 많이 성장 했어 , 고마워.

데이비드 봄의 말처럼
무언가 이해할 수 없다면 그때 해야 할 최선의 행위는
책을 쓰는 것이다

이 책이 나올 수 있도록 동력이 되어 주는 진희언니 ,
글쓰기 멤버 태영 선생님, 성심성의껏 책 작업을 도와
주신 지수경 선생님
함께 성장할 수 있는 벗들이 있어 행복하다.
퇴고작업뿐 아니라 인생의 전반에 힘이 되어 주는 나
의 구루 막내이모에게도 늘 감사하다고 전하고 싶다.
온 마음을 다해 조건 없는 사랑을 내게 주는 나의 아
이들에게도 아주 많이 사랑한다고 말해주고 싶다.
지민, 기환아 사랑해

어떠한 순간에도 나를 떠나지 않고
나와 함께 있어 줄 거라며 모든 순간을
껴안고 있는 나에게도 고맙고,
비밀을 풀기 위해 애써왔던 시간들이 헛되지 않았다고
말해주고 싶다

어떠한 모습이라도 용기 내 마주하기를 그리하여 온
전한 자신을 드러내기를 응원하고 싶다.